CBAC

Cyhoeddwyd dan nawdd
Cynllun Llyfrau Darllen
Cyd-bwyllgor Addysg Cymru.

Cyhoeddwyd gyntaf yn Swedeg
gan Rabén & Sjögren, Stockholm,
dan y teitl *Lycklige Alfons Åberg*
Cyhoeddwyd yn Gymraeg gan Wasg y Dref Wen,
28 Ffordd yr Eglwys, Yr Eglwys Newydd, Caerdydd.

Argraffwyd yn Nenmarc.

Ifan Bifan wrth ei fodd

Gunilla Bergström

Trosiad gan Juli Paschalis

DREF WEN

Dyma Ifan Bifan, chwech oed.
Roedd e wedi 'laru. A'i dad hefyd.
Roedd hwyl y Nadolig drosodd.
Yfory byddai Ifan yn mynd yn ôl i'r ysgol.
Byddai Dad yn mynd yn ôl i'w waith.
Roedd popeth fel arfer unwaith eto.
"Pam na allwn ni gael hwyl drwy'r amser?" cwynodd Ifan.
"Dyna fyddwn i'n hoffi gwybod hefyd," meddai Dad yn ddiflas. "O, o, o, o."

Ond roedd Mam-gu yn
hapus.
Roedd hi'n hymian ac
yn canu
wrth glirio'r llanast
ar ôl y Nadolig.

Yna gofynnodd hi:
"Beth sy'n bod
arnoch chi'ch dau?
Pam ych chi'n pwdu fan 'na?"
"Ni'n drist,"
oedd ateb Ifan a Dad.
"Yn drist? Wela i ddim rheswm dros fod yn drist.
Cawson ni amser bendigedig dros y Nadolig.
A chymaint o anrhegion hyfryd."
"Ond mae'r cyfan **drosodd**," ochneidiodd Ifan.
"A nawr mae popeth yn **ddiflas**."
Casglodd Mam-gu'r sêr Nadolig a'r angylion papur,
a chwarddodd wrthi'i hun.
"Dyna **braf** . . . ha, ha . . . eich bod wedi 'laru."
A gosododd hi'r Baban Iesu yn ei focs esgidiau.

Sibrydodd Ifan wrth ei dad:
"Ydy hi'n gwybod beth yw ystyr **diflas**?"
Sibrydodd Dad ei ateb:
"'Sdim rhaid inni wrando arni! Mae hi'n rhy llawen o bell ffordd heddiw . . ."
Ac roedden nhw'n dal i deimlo'n ddiflas.
Roedd Geraint — ffrind gorau Ifan — yn dost . . .
Roedd y goeden Nadolig yn colli ei dail . . .
Doedd dim siocledi ar ôl . . .

"O, o, o, o . . ."
Cofiodd Ifan
noswyl Nadolig . . .

. . . Roedd cymaint o hwyl i'w gael . . .
A'r anrhegion Nadolig!
Eleni cafodd Ifan lyfr lliwio,
pensiliau lliw,
cit i wneud castell . . .
(Sanau hefyd, wrth gwrs.)
Roedden nhw'n becynnau hyfryd, cyffrous
— ar y pryd!

Nadolig
Llawen,
IFAN
DADI

Ond nawr pethau cyffredin oedden nhw,
bob un.
Roedd y llyfr lliwio wedi'i lenwi,
y pensiliau wedi torri,
a'r castell yn ddarnau . . .
"O, o, o, o . . ."

Ond chwerthin
wnaeth Mam-gu.
"Mae'n **braf**! Mae'n braf
eich bod wedi 'laru . . ."
A chariodd hi'r
addurniadau i'r atig.
Mwmialodd Dad,
"Mae hi'n flin.
Wnawn ni mo'i hateb hi."

“Pam na allwn ni gael hwyl **drwy’r amser**?” meddai Ifan eto. “Rwy’n credu y dylen ni **hepgor** y diwrnodau diflas, a chael dim ond diwrnodau pan fo rhywbeth yn digwydd.”
“Yn hollol,” cytunodd Dad.
“Fel gyda fideo,” meddai Ifan. “Pan fo rhan anniddorol mewn rhaglen fideo, fe allwch chi wasgu botwm i symud i ran hwyliog yn syth bin.”
Ystyriodd y ddau sut y dylai pethau fod.
“Dylen ni gael Nadolig bob dydd ar wahân i un,” meddai Dad. “Diwrnod arferol fyddai hwnnw.”

"Na," meddai Ifan. "Diwrnod pen-blwydd fyddai hwnnw!"
"Wrth gwrs," meddai Dad. "Fyddai **dim un** diwrnod diflas drwy'r flwyddyn gyfan gron."
Yna fe glywodd y ddau lais hapus Mam-gu eto.
"O, mae mor braf arnoch chi . . ."
Ond erbyn hyn roedd Ifan a Dad wedi blino arni.
"Peidiwch â dweud hynny drwy'r amser!
Beth am wrando arnon ni'n dau am unwaith?"
Ac yna dywedson nhw wrthi am eu cynllun —
fel y bydden nhw'n hepgor pob diwrnod diflas
a chael hwyl gydol yr amser.

Ond chwerthin wnaeth Mam-gu.
"Dyna'r syniad mwya gwirion . . ."
A chwarddodd hi eto. "Ie wir, dyna'r syniad
mwya G-W-I-R-I-O-N imi ei glywed erioed.
Fyddech chi byth yn cael hwyl.
Pe bai popeth yn hwyl drwy'r amser,
fyddech chi ddim yn ystyried mai hwyl oedd e.
Dylech chi fod yn falch eich bod yn ddiflas!
Rydyn ni'n cael diwrnodau anniddorol
er mwyn inni wybod y gwahaniaeth
pan fo rhywbeth hwyliog yn digwydd!"

Doedd Dad ac Ifan
ddim wedi meddwl am hynny . . .
Yn sydyn . . .

. . . saethodd Ifan o'i gadair
fel roced.
"Dyna gyffrous!
Achos pan fyddwch chi'n
wirioneddol ddiflas,
fel rŵan,
gall fod hwyl fawr, fawr, ar y
ffordd! . . .

Tybed pa hwyl sydd
ar fin digwydd rŵan?"

Erbyn hyn roedd pawb o'r farn
ei bod yn gyffrous teimlo'n ddiflas.
Aethon nhw ati'n brysur tu hwnt —
yn paratoi coffi, yn gosod y bwrdd,
ac yn ceisio dyfalu pa bethau braf
allai ddigwydd nesaf iddyn nhw.

"Y Pasg!" oedd awgrym Mam-gu.
"Mynd i'r syrcas gyda Dad,"
oedd gobaith Ifan.
"Parti," oedd syniad Dad.

Ond doedd yr un ohonyn nhw'n iawn.
Achos roedd yr hwyl eisoes
ar ei ffordd.
Canodd cloch y drws. Pling!

A phwy ddaeth i mewn ond . . . Geraint!
Yn holliach ac yn teimlo'n dda
— ac yn cario llond bag mawr o deganau!
"Chwech wythnos i heddiw!
Felly fedri di ddim dal brech yr ieir
wrtho i," meddai.

Geraint oedd y digwyddiad braf cyntaf
ar ôl y diflastod.
Rŵan am hwyl!

Buon nhw'n chwarae ar hyd y prynhawn.
"O, mae mor ddiflas bod yn sâl,"
meddai Geraint.
Roedd gan Ifan air o gysur iddo:
"Ond roedd yn werth pob eiliad, 'doedd,
er mwyn inni gael cymaint o hwyl nawr."